La Véritable Histoire du père Noël

Michiel Segaert • Yolanda Willems

Il y a longtemps, en Laponie,
vivait un vieil homme qui s'appelait Noël.
Comme c'était un papy très gentil,
tout le monde l'appelait : le père Noël.

Dans ce village vivait aussi une petite fille qui s'appelait Ida.
Elle était toujours enrhumée,
son petit nez tout rouge à force de se moucher.
Un jour, Noël se dit qu'avec des fleurs,
l'hiver paraîtrait moins long à la petite Ida.

Mais comment trouver des fleurs en Laponie,
en plein hiver, au mois de décembre ?
Le vieux Noël eut beau chercher, il n'y en avait
ni dans son village, ni dans les hameaux voisins.
Noël prit le chemin du sud, où il faisait plus chaud,
et où il devait bien pousser des fleurs.

Mais toutes les routes se ressemblent sous la neige et,
rapidement, Noël se retrouva dans une forêt
encore plus froide que la région qu'il venait de quitter.
« Je ne me serais pas perdu si Rodolphe avait été là »,
se dit Noël en pensant à son chien.
C'est alors qu'il remarqua un petit renne,
avec un nez rouge comme celui d'Ida,
qui le suivait dans la forêt.

Le père Noël appela son nouveau guide : Rodolphe.
Ils marchèrent ensemble longtemps.
Le soleil se couchait et illuminait les arbres gelés
de reflets brillants et colorés.
Le vieux Noël sourit :
« Tout cela ferait un bien beau bouquet ».

C'est alors que le père Noël rencontra
un drôle de personnage,
tout petit avec des oreilles pointues.
« Bonjour, dit Noël, comment vas-tu ? »
Le lutin causa longtemps avec Noël
qui lui raconta la vie au village
et les fleurs qu'il cherchait pour Ida.

Les lutins décidèrent d'aider Noël à trouver des fleurs.
Mais ils ne savaient pas vraiment à quoi ça ressemblait...
Alors, ils fabriquèrent tout un tas de jouets.
Et le père Noël en avait tant et tant
qu'il y en avait pour Ida, pour les enfants du village
et aussi pour ceux du monde entier !

Les lutins jetèrent un sort à Rodolphe et à ses compagnons
pour qu'ils puissent tirer le traîneau de Noël à travers le ciel.
Et, cette nuit-là, Noël parcourut le monde
en distribuant les jouets des lutins.
Il ne s'arrêta qu'une seule fois,
dans un pays du sud, pour cueillir des fleurs pour Ida.

Depuis, le père Noël s'est installé chez les lutins.
Et, chaque année à la fin du mois de décembre,
il parcourt le monde
pour distribuer des cadeaux à chacun :
c'est le jour de Noël.

Et chaque matin de Noël, la petite Ida
trouve un bouquet dans ses souliers.
Merci, père Noël !